PATAGONIA 150

YMA I AROS · *HERE TO STAY* · AQUÍ PARA QUEDARSE

I Eileen a Vali a'u teuluoedd

Rhoddir holl freindal y gyfrol i Ysgol Gymraeg y Gaiman.

PATAGONIA 150

YMA I AROS · *HERE TO STAY* · AQUÍ PARA QUEDARSE

Eirionedd A. Baskerville

Cyflwyniad gan Huw Edwards

y Lolfa

Dymunaf ddiolch i Lyfrgell Genedlaethol Cymru am ganiatâd i ddefnyddio lluniau o'r casgliadau, ac rwy'n gwerthfawrogi parodrwydd pawb sydd wedi cyfrannu eu lluniau hwythau i'r gyfrol. Mae fy niolch hefyd i Huw Edwards am lunio'r Rhagair, i Dr Siân Edwards am ddarparu cyfieithiad Sbaeneg o'r capsiynau, ac i Meinir Wyn Edwards a Ceri Jones o wasg y Lolfa am eu cyngor wrth osod y gyfrol.

I wish to thank the National Library of Wales for permission to use photographs from its collections, and I greatly appreciate the willingness of everyone to contribute their personal photographs to the book. My thanks also to Huw Edwards for writing the Introduction, to Dr Siân Edwards for providing a Spanish translation of the captions, and to Meinir Wyn Edwards and Ceri Jones of y Lolfa for their advice on the designing of the book.

Argraffiad cyntaf: 2015

Dymuna'r cyhoeddwyr gydnabod cymorth ariannol Cyngor Llyfrau Cymru

Rhif Llyfr Rhyngwladol: 978-1-78461-128-6

Cyhoeddwyd ac argraffwyd yng Nghymru
ar bapur o goedwigoedd cynaladwy gan
Y Lolfa Cyf., Talybont, Ceredigion SY24 5HE
gwefan www.ylolfa.com
e-bost ylolfa@ylolfa.com
ffôn 01970 832 304
ffacs 832 782

CYNNWYS · *CONTENTS* · CONTENIDO

Rhagair

Dros y cenedlaethau aeth y Cymry i bedwar ban byd i chwilio am fywyd gwell neu am fwy o ryddid crefyddol neu wleidyddol. Nid oedd hi'n hawdd ennill bywoliaeth trwy ffermio, ac roedd llanw a thrai yn y gweithfeydd haearn a dur a'r pyllau glo hefyd yn eu tro, heb sôn am broblemau cau tir comin. Does dim syndod bod miloedd o Gymry yn y bedwaredd ganrif ar bymtheg wedi cael eu denu gan y sôn am wledydd mawr agored, a thir rhydd yng Ngogledd a De America. Ffactor ychwanegol yn hanes y Wladfa Gymreig ym Mhatagonia oedd y dymuniad i greu Cymru Newydd, Gymraeg ei hiaith a'i sefydliadau. Dyma'r darlun o Batagonia a gyflwynwyd gan y Parch. R. Gwesyn Rhys yn *Baner ac Amserau Cymru* ar 8 Tachwedd 1865:

'Y mae Patagonia oll yn rhydd i'w gwneud yn Gymru newydd… O leiaf mae yn gyfle ardderchog i ddyfod ymlaen yn y byd, a chyn hir bydd yno gartref mwy cysurus i Gymro nag un rhan arall o'r byd.'

Yn y flwyddyn 1865 hwyliodd dros gant a thrigain o Gymry o Lerpwl i wireddu'r freuddwyd, ond cawsant eu hunain yn glanio ar dir diffaith, digroeso, heb ddim o'r gynhaliaeth o ran câr a chyfaill oedd yn croesawu ymfudwyr i Ogledd America. Roeddent yn arloeswyr, ac wedi iddynt ymlwybro i Ddyffryn Camwy roedd rhaid torchi llewys i ddofi'r diffeithwch. Trwy gyfrwng hen ffotograffau a rhai mwy diweddar mae'r llyfr hwn yn anelu at olrhain bywyd, dyfeisgarwch, gweithgarwch a theyrngarwch i werthoedd Cymreig yr ymsefydlwyr hynny, eu holynwyr a'u disgynyddion.

Rhaid cyfaddef iddo fod yn waith anodd dewis rhwng y casgliadau o luniau, ond roedd gen i gynllun mewn golwg a fyddai'n adlewyrchu themâu penodol. Yr oeddwn eisoes yn lled gyfarwydd â rhai o gasgliadau'r Llyfrgell Genedlaethol o luniau'n ymwneud â Phatagonia, ond roedd yn rhaid cael golwg pellach arnynt a dewis y rhai a fyddai'n addas. Ceir lluniau yn dangos ffrwyth gwaith yr ymfudwyr yn cloddio'r ffosydd er mwyn dyfrhau'r caeau i godi cnydau, malu grawn yn eu melinau, cadw gwartheg a defaid, adeiladu tai, capeli ac ysgolion, datblygu rheilffordd i hyrwyddo masnach i gynnyrch y sefydliad, canghennau Cwmni Masnachol y Camwy, gwahanol sefydliadau'r diwylliant Cymraeg a Chymreig, a'r ymchwildeithiau i archwilio'r wlad ac i greu sefydliad newydd yn yr Andes.

Unwaith i mi ddewis y rhain, roedd angen dod o hyd i luniau a fyddai'n dangos y Wladfa yn y cyfnod mwy diweddar, er enghraifft yr ysgolion newydd, ambell i siop, newidiadau mewn amaethyddiaeth a'r tai te. Bûm yn cysylltu â ffrindiau a chydnabod oedd wedi ymweld â'r Wladfa i ofyn yn garedig am unrhyw luniau a oedd ganddynt. Go brin y byddai'r llyfr wedi gweld golau dydd heb eu cyfraniadau hwy ac ambell un arall yr awgrymwyd eu henwau i mi gan gyfeillion.

Ni wireddwyd y freuddwyd o greu Cymru Newydd hunanlywodraethol Gymreig a Chymraeg; yn fuan wedi iddynt gyrraedd Chubut talodd yr ymfudwyr deyrnged i faner yr Ariannin. Cymerasant ddiddordeb yn y pethau a berthynai i'w gwlad newydd, tra'n dal gafael yn nhraddodiadau'r 'hen wlad', ac mae disgynyddion yr ymfudwyr o Gymru yn falch o fod yn Archentwyr. Wynebodd y Gymraeg gyfnodau anodd yn ystod hanner cyntaf yr ugeinfed ganrif, ond yr oedd rhai sefydliadau Cymraeg wedi goroesi – papur newydd *Y Drafod*, y capeli Cymraeg a'r Eisteddfod. Yn 1963 ailagorodd Ysgol Ganolraddol Camwy, a chyda dathliadau'r canmlwyddiant yn 1965 adnewyddwyd y berthynas rhwng

Cymru a'r Wladfa, a daeth adfywiad mewn diddordeb yn yr etifeddiaeth Gymreig, ac nid o du disgynyddion y Cymry yn unig. Erbyn heddiw gwelir Archentwyr heb ddim diferyn o waed Cymreig yn siarad Cymraeg ac yn ymddiddori yn y 'pethe', ac mae dau ohonynt, Sandra de Pol ac Isaias Grandis, wedi ennill tlws Dysgwr y Flwyddyn yn Eisteddfod Genedlaethol Cymru.

Bu sawl athro o Gymru yn gweithio'n wirfoddol yn y Wladfa a thrwy hynny yn braenaru'r tir erbyn sefydlu Cynllun yr Iaith Gymraeg yn 1997. O dan y Cynllun caiff athrawon o Gymru eu cyflogi i ddysgu yno am gyfnod, ac mae wedi cyfrannu'n helaeth tuag at gynnal a hybu'r Gymraeg a'i diwylliant yn y Wladfa. Mae ysgol feithrin Gymraeg yn Nhrelew, ac agorodd Ysgol yr Hendre ei drysau mewn adeilad newydd sbon yn ardal Moriah, Trelew yn 2014. Mae ysgol feithrin ac egin ysgol gynradd Gymraeg yn y Gaiman hefyd, a chynllun ar droed i adeiladu ysgol a chanolfan Gymraeg newydd yn y Gaiman. Cynhelir cyrsiau Cymraeg yn Nhrevelin ac Esquel ac mae ysgol a chanolfan newydd, Ysgol y Cwm, yn cael eu codi ar hyn o bryd yn Nhrevelin, ynghyd ag estyniad i'r ganolfan yn Esquel. Wrth gwrs, mae ambell i athrawes wedi'i chael hi'n anodd gadael y Wladfa, ac wedi cael gŵr yno! Mae'n galonogol clywed am y rhai sy'n mynychu'r dosbarthiadau Cymraeg ac yn llwyddo'n arbennig o dda mewn arholiadau a osodir gan Gyd-bwyllgor Addysg Cymru, ac yn mynd ymlaen i gynnal dosbarthiadau. Mae'r Eisteddfod Ddwl, nosweithiau 'Cyri a Chwis' a'r rhaglen radio *Jam Llaeth* a drefnir gan aelodau Menter Patagonia, yr athrawon o Gymru a'r bobl leol, yn ehangu'r defnydd o'r Gymraeg mewn ffordd hwyliog, ac ymweliadau gan aelodau'r Urdd yn creu cyfeillgarwch rhwng pobl ifanc y Wladfa a Chymru.

Euthum i Batagonia am y tro cyntaf yn 1996 a syrthio dan hud y lle a'r bobl, yn enwedig ar ôl darganfod bod gen i deulu yno. Aeth John Morgan James o ffermdy Aberpeithnant yn ardal Pumlumon yn 1886 i weithio ar y rheilffordd o Borth Madryn i Ddyffryn Camwy, ac rwy'n hynod falch fy mod yn adnabod nifer o'i ddisgynyddion sy'n dal i siarad Cymraeg ac yn gweithio dros yr iaith a'i diwylliant.

Trefnwyd llu o weithgareddau i ddathlu'r canmlwyddiant a hanner yn y Wladfa ac yng Nghymru, a'r gobaith yw y ceir gwaddol a fydd yn sicrhau ffyniant yr iaith Gymraeg a'r diwylliant Cymreig mewn gwlad ym mhen draw'r byd.

Eirionedd A. Baskerville
Gorffennaf 2015

Foreword

Throughout the centuries the Welsh have emigrated to the four corners of the world in search of a better life or for more religious or political freedom. It was not easy to earn a living in Wales by farming, and depression hit the iron and steel works and the coalmines from time to time, besides the problem of enclosing common land. It is not surprising, therefore, that thousands of Welsh men and women were attracted by the talk of large open places and free lands in North and South America. A further factor in the history of emigration to Patagonia was the desire to establish a New Wales where Welsh would be the language of the people and institutions. The following is a translation of an extract from the Rev. R. Gwesyn Rhys's article on Patagonia in *Baner and Amserau Cymru* dated 8 November 1865:

'Patagonia is completely free to become a new Wales... At least it presents an excellent opportunity to get on in the world, and before long it will be a more comfortable home for the Welsh than any other part of the world.'

In 1865 more than one hundred and sixty Welsh men and women sailed from Liverpool to realise the dream, but they found themselves in desolate, unwelcoming land with none of the support from friends and family that welcomed emigrants to North America. They were pioneers, and after trudging to the Chubut Valley, they had to roll up their sleeves and set about taming the wilderness. By means of old and more recent photographs, this book aims to trace the life, ingenuity, activity and loyalty to Welsh values of those Welsh settlers, those who followed them and their descendants.

I must admit that it was difficult to choose between the collections of photographs, but I had a plan in mind that would reflect particular themes. I was already fairly familiar with some of the collections held by the National Library of Wales, but I had to take a further look at them and choose those which would be suitable. Some photographs illustrate the results of their work in building canals in order to irrigate the fields to raise crops, grinding grain in their mills, keeping cattle and sheep, building houses, chapels and schools, developing the railway to promote trade for the Settlement's produce, establishing branches of the Chubut Mercantile Company and promoting various aspects of the Welsh language and culture, and the story of expeditions to explore the country and found a new settlement in the Andes.

Once the choice had been made I needed to find photographs that would illustrate the Settlement in the more modern period, for example the new bilingual (Welsh and Spanish) schools, changes in agriculture and the popular tea houses. I sought the help of friends and acquaintances who had visited the Settlement to ask them kindly for any photographs they had. The book would hardly have seen the light of day without their contribution and that of several others whose names were suggested by friends.

The dream of creating a lasting new self-governing Wales was not realised; shortly after their arrival in Chubut the immigrants paid homage to the Argentine flag. They took an interest in everything belonging to their new country while keeping hold of the traditions of 'the old country', and the descendants of the Welsh settlers are proud of being Argentinian. The Welsh language faced difficult times during the first half of the twentieth century, but some features of Welsh life survived – *Y Drafod*, the newspaper, the Welsh chapels and the Eisteddfod. In 1963 the secondary school in Gaiman, which had been closed in 1951, reopened, and with the centenary celebrations in 1965 came a renewal of the relationship between Wales and the Wladfa and a revival of interest in the Settlement's Welsh heritage, and not only from descendants of the Welsh pioneers. Today there are Argentinians with not a drop of Welsh blood who speak Welsh and take an interest in the Welsh legacy, and two of them, Sandra de Pol and Isaias Grandis, have won the Welsh Learner of the Year award at the National Eisteddfod.

Several teachers from Wales worked as volunteers in Chubut, and their hard work prepared the ground for the establishment of the Welsh Language Scheme in 1997. Under the scheme teachers from Wales are employed as teachers for a specific period, and this has contributed greatly towards maintaining and promoting the Welsh language and culture in Chubut. There is a Welsh nursery school in Trelew, and Ysgol yr Hendre's new building in the Moriah district of Trelew opened its doors in 2014. There is also a Welsh nursery and school in Gaiman, and plans are under way to build a new Welsh school and cultural centre in Gaiman. Welsh language courses are held in Trevelin and Esquel, and a new Welsh school and centre, Ysgol y Cwm, is already being built in Trevelin, while an extension to the present centre in Esquel is well under way. Of course, some teachers find it difficult to leave and have found a husband there! It is heartening to hear of those who attend Welsh classes and are successful in the examinations set by the Welsh Joint Education Committee in Wales, even going on to hold classes themselves. Activities such as the 'Eisteddfod Ddwl', the recently revived radio programme *Jam Llaeth* and Curry and Quiz evenings arranged by members of Menter Patagonia, the teachers from Wales and local people increase the use of Welsh in a fun way, and visits by members of the Urdd (Welsh League of Youth) forms friendships between the young people of Wales and Patagonia.

I visited Patagonia for the first time in 1996 and fell under the spell of the place and the people, especially after discovering that I had family there. John Morgan James left Aberpeithnant farm in the Pumlumon area in 1886 to work on the construction of the railway between Port Madryn and the Chubut Valley, and I am particularly pleased that I have got to know many of his descendants who still speak Welsh and work on behalf of the language and its culture.

A great many events to celebrate the hundred and fiftieth anniversary have been arranged in both Patagonia and Wales, and it is hoped that they will leave an inheritance that will ensure the success of the Welsh language and culture in a land on the other side of the world.

Eirionedd A. Baskerville
July 2015

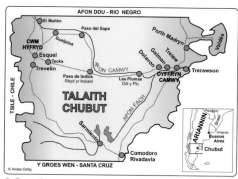

© Gwyn Jones

Cyflwyniad gan Huw Edwards
O Drelew i Drevelin

Bu i mi ddathlu 30 mlynedd yng ngwasanaeth y BBC yn 2014, a dyma fwynhau un o brofiadau gorau fy ngyrfa yn ystod y flwyddyn honno – sef ymweld â Phatagonia.

Y mae cymunedau Dyffryn Chubut a'r Andes ill dwy yn gynnes a didwyll eu croeso, yn falch o'u tras Cymreig, ac yn awyddus iawn i osod seiliau cadarn ar gyfer y dyfodol. Maent yn crocsawu ymwelwyr o Gymru ac yn mantcisio ar bob cyfle i ymweld â'r hen wlad.

Profiad cyffrous a syfrdanol oedd croesi'r paith enfawr o'r Gaiman yn y dwyrain i Esquel yn yr Andes. Fel arfer bydd y daith yn cymryd tua 6 awr mewn car, ond i dîm cynhyrchu teledu mae 'na ormod o gyfle i aros a ffilmio'r tirwedd rhyfeddol. Fe gymerodd y daith 15 awr i ni... gadawsom y Gaiman am 6 y bore a chyrraedd tref Esquel am 9 y nos.

Ar y ffordd buom yn ffilmio yn Nant-y-pysgod, Dyffryn y Merthyron, Yr Allorau, a Dôl-y-plu. Mae cyfoeth yr enwau Cymraeg yn siarad cyfrolau am ddiwylliant yr arloeswyr hynny a groesodd y paith dan amgylchiadau anodd a chaled yn 1885.

Yn ôl yr hanes, y Cymro Richard Jones gafodd yr olwg gyntaf ar 'Cwm Hyfryd' yn yr Andes lle adeiladwyd trefi Trevelin ac Esquel yn ddiweddarach. Anodd meddwl am enw mwy priodol: y mae'r cwm arbennig hwn yn syfrdanol o hyfryd, ei diroedd gwyrdd, ffrwythlon yn ymestyn am filltiroedd lawer, a mynyddoedd mawreddog yr Andes, yr uchaf dan drwch o eira, yn taflu cysgodion enfawr ar draws y dyffryn.

Bob mis Tachwedd, bydd y *Rifleros* (yn cario'u drylliau hir) yn marchogaeth i ben mynydd serth Craig Goch, a chynnal seremoni yn y fan lle gwelwyd gwlad yr addewid am y tro cyntaf. Ein tasg ni oedd dringo i ben y mynydd (heb geffylau i'n cludo) a chyrraedd mewn pryd i glywed y dorf yn canu 'Hen Wlad Fy Nhadau' yn egnïol gan fwynhau prydferthwch y wlad o'n cwmpas. Profiad i'w gofio am weddill ein hoes.

Bu'r ymweliad hwn â Phatagonia – y cyntaf i mi – yn llawn profiadau cofiadwy. Ac er bod llai o Gymraeg i'w glywed yn yr Andes o'i gymharu â'r Gaiman a Threlew, mae 'na ddiwylliant Cymraeg cyhyrog yma yn Esquel a Threvelin, a nifer o deuluoedd ac unigolion yn gweithio'n galed i gynnal Cymreictod y lle.

Beth yw'r dyfodol, felly? A oes 'na obaith y gall cymuned yr Andes gynnal yr iaith a'u Cymreictod yn y blynyddoedd i ddod? Ai iaith cyngerdd ac ambell gwrdd capel fydd y Gymraeg ymhen degawd? Bu darogan tranc y Gymraeg yn thema gyfarwydd ym Mhatagonia ers trigain mlynedd a mwy.

Mae'n rhaid ymweld ag Ysgol Gymraeg yr Andes yn Nhrevelin i geisio cael ateb synhwyrol. Peth hawdd yw bod yn or-besimistaidd, neu'n or-sentimental ar y llaw arall, ynghylch yr iaith a'i dyfodol. Mae 'na ymgyrch i adeiladu ysgol Gymraeg newydd gan fod yr adeilad presennol, y drws nesaf i gapel Bethel, Trevelin, yn rhy fach ac annigonol o ran adnoddau. Ond y peth diddorol yw bod mwyafrif y rhieni sy'n dewis danfon eu plant yno, er nad oes ganddynt unrhyw gysylltiad â Chymru, yn derbyn bod dwyieithrwydd yn beth manteisiol.

Ar brynhawn crasboeth dyma ni'n cyrraedd yr adeilad bach a'i furiau allanol yn llawn delweddau lliwgar o Mistar Urdd a dreigiau coch o bob maint. Fe'n croesawyd gan yr athrawes, Jessica Jones, un o ferched yr ardal, ac fe gawsom gip ar genhedlaeth ifanc o Archentwyr yn cael eu haddysgu yn Gymraeg. Fe'm hatgoffwyd o Ysgol Gymraeg Llundain, o ran maint a chymeriad y lle, yr awyrgylch yn gynnes a chlyd, a'r plant yn amlwg yn mwynhau.

Y mae seiliau adeilad yr ysgol newydd wedi'u gosod yn barod, rhyw hanner can llath i ffwrdd, yr ochr arall i'r capel bach. Ond does dim sicrwydd eto y daw digon o arian o goffrau llywodraeth y dalaith. Mae Llywodraethwr Talaith Chubut, Dr Martin Buzzi, eisoes wedi datgan ei gefnogaeth ond y gwir yw bod arian cyhoeddus yn brin.

Esboniodd Clare Vaughan, cydlynydd prosiect 'Dysgu Cymraeg yn y Wladfa' fod adnoddau yn brin iawn a bod angen tipyn mwy o gefnogaeth. Ond datgelodd hefyd bod dros fil o bobl wedi mynychu cyrsiau Cymraeg yn y flwyddyn a aeth heibio, ac mae hynny'n destun balchder naturiol. Buom yn siarad yng Nghanolfan Gymraeg Esquel, lle mae 'na ddosbarthiadau Cymraeg ar gael i unigolion o bob gallu.

Addysg addas yw'r ateb i'r cwestiwn.

Ac o gael darpariaeth amgenach, mae trigolion Patagonia yn ffyddiog y byddant yn dathlu Cymreictod y Wladfa ymhen hanner canrif arall.

© Huw Edwards

Introduction by Huw Edwards
From Trelew to Trevelin

I could think of no better way to celebrate my thirtieth anniversary as a BBC journalist: in November 2014 I fulfilled a lifelong ambition by visiting the Welsh communities in Patagonia. It turned out to be one of the best experiences of my life.

The principal Welsh settlements are hundreds of miles apart, from the Chubut Valley in the east (established soon after the first landings in 1865) to Cwm Hyfryd in the Andes in the west (established some two decades later). They are all proud of their Welsh heritage, offering the warmest welcome to visitors, and eager to lay strong foundations for the future. Many are also seasoned travellers and have made the journey to Wales several times.

Crossing the vast plains from Trelew to Trevelin was a thrilling and memorable experience. The journey by car takes around 6 hours, but for a television crew endlessly tempted to stop and film the stunning landscape, it took 15 hours... we left Gaiman at 6 in the morning and reached Esquel at 9 at night. The richness of the Welsh names along the way – Nant-y-pysgod ('Fish Stream'), Dyffryn y Merthyron ('Vale of Martyrs'), Yr Allorau ('The Altars'), Dôl-y-plu ('Meadow of Feathers') – was a vivid reminder of the culture of those pioneers who crossed the prairie in harsh conditions in 1885.

History records that Richard Jones was the first to glimpse Cwm Hyfryd ('Splendid Valley') with its immense carpet of fertile land in the foothills of the snow-capped Andes. This is where the towns of Trevelin and Esquel were built, and they retain a recognisable Welshness to this day.

Every year in November, the Rifleros, with their trademark firearms, ride up the steep mountain to Craig Goch ('Red Rock') and hold a ceremony at the scene where Cwm Hyfryd was first spotted. Our task in 2014 was to climb to the top of the mountain (no riding for us...) and arrive in time to hear the crowd singing 'Hen Wlad Fy Nhadau' while enjoying the breathtaking views. It was an experience to cherish for the rest of our lives.

Indeed, this visit to Patagonia – my first – was full of wonderful experiences. Meeting Aldwyn Brunt, a farmer in Dolavon who looks after the tiny Welsh chapel at Glan Alaw, was especially moving. He had never been to Wales and yet his spoken Welsh was gloriously rich and robust. Luned Roberts de González, who lives in Gaiman, is a notably erudite woman who (along with her late sister, Tegai) has sustained Welsh culture in Patagonia with great energy and determination. It was a privilege to meet her at the cultural centre which once housed the first Welsh-medium secondary school in the world. There are many others – far too many – to mention, but they all impressed me with their natural blend of Welsh and Argentine patriotism.

What, then, does the future hold in this 150th anniversary year? Might the Welsh communities sustain their language and culture for another 150 years? Or will it become a language of concerts and occasional chapel services? Predicting the demise of the Welsh language in Patagonia has been a popular pastime over the years. When the centenary was marked in 1965, there was little optimism in evidence.

Since then, there has been a monumentally important development. Two primary schools have been established in Gaiman and Trevelin, and they are increasingly popular. State funding is available for the Spanish part of the curriculum, but parents have to pay for the Welsh provision. They seem happy to do so. Most of the families have no Welsh roots, so their decision is based on the quality of education on offer. The same decision is made by parents in many parts of Wales.

The school in Trevelin needs a new building and far better resources, but there are signs that the state authorities are waking up to the importance of the Welsh heritage. For one thing, the potential for developing the tourism industry is huge. The Governor of Chubut Province, Dr Martin Buzzi, has already declared his support. But the reality is that public funds are scarce.

More than a thousand people registered for Welsh language courses in Patagonia last year. It is a growth industry. There is renewed interest in the cultural heritage of this part of Argentina, and the vital contribution of the Welsh in developing Patagonia is being recognised anew.

Education holds the key. If the schools continue to flourish, and good will continues to grow, there is every reason to believe that the residents of Patagonia will be celebrating their Welshness for many decades to come.

© Huw Edwards

YR INDIAID BRODOROL
THE NATIVE INDIANS
PUEBLOS INDÍGENAS

Brodorion Patagonia – llun oedd gan Eluned Morgan, y nofelydd a merch yr arloeswr Lewis Jones a'i wraig Ellen Griffiths, ar wal yn ei chartref.

Patagonian natives – a picture which hung on a wall at the home of Eluned Morgan, novelist and daughter of pioneer Lewis Jones and his wife Ellen Griffiths.

Los indígenas de la Patagonia – una fotografía que tenía en la pared de su casa Eluned Morgan, la novelista e hija del pionero Lewis Jones y su esposa Ellen Griffiths.

Yr oedd gwahanol lwythau o frodorion yn byw ym Mhatagonia pan gyrhaeddodd y Cymry – dau lwyth o'r Pampa/Tehuelche, teulu Galats a theulu Chiquichano, a'r Mapuche tua'r gogledd-orllewin yn ardal Neuquen. Y rhai a fu'n ymwneud yn bennaf â'r Cymry oedd y Tehuelche o lwyth Chiquichano. Rhanasant eu dulliau hela gyda'r Cymry, eu hyfforddi i farchogaeth ceffylau gwyllt a dangos sut i ddefnyddio'r *boleadoras* – arf gyda thair pelen garreg ynghlwm wrth dri chortyn lledr – wrth hela. Roeddent yn hoff iawn o fara'r Cymry a byddent yn cynnig cig, plu a nwyddau eraill yn gyfnewid amdano.

Several different tribes of indigenous people lived in Patagonia when the Welsh arrived – two tribes of the Pampa/Tehuelche, the families of Galats and of Chiquichano, and the Mapuche in the Neuquen area in the north-west. It was the Tehuelche of the Chiquichano family who had most contact with the Welsh. They shared their hunting skills with the Welsh, taught them to ride wild horses and showed them how to use the boleadoras *– a weapon comprised of three stone balls tied to three leather cords – for hunting. They were very fond of Welsh bread and would offer meat, feathers and other goods in exchange.*

Vivían varios groupos distintos de pueblos indígenas en la Patagonia cuando llegaron los galeses – dos grupos de Pampa/Tehuelche, las familias de Galats y de Chiquichano, y los Mapuche que vivian en el noroeste alrededor de Neuquen. Los que se relacionaban más con los galeses fueron los Tehuelche de la familia de Chiquichano. Compartieron sus métodos de caza con los galeses, les enseñaron a amansar caballos salvajes y les mostraron cómo utilizar boleadoras – un arma con tres bolas de piedra atadas a tres cordones de cuero. Eran muy aficionados al pan de los galeses y les ofrecerían carne, plumas y otros bienes a cambio de él.

Cofeb o Indiad Tehuelche yn syllu allan dros y môr fel petai'n gweld dyfodiad y *Mimosa*. Codwyd y gofeb yn agos at y fan lle glaniodd y Cymry yn 1865, a'i dadorchuddio yn 1965 i gydnabod dyled y sefydlwyr Cymreig i'r brodorion cynhenid.

The monument of a Tehuelche Indian looking out to sea as if he could see the approaching Mimosa. *It was erected near the spot where the Welsh landed in 1865, and unveiled in 1965 to recognise the debt of the Welsh settlers to the local natives.*

Monumento al indio Tehuelche mirando fijamente sobre el mar como si se ve la llegada del *Mimosa*. El monumento fue construido cerca del lugar donde desembarcaron los galeses en 1865 y fue inaugurado en 1965 para reconocer la deuda sentida por los colonos galeses hacia los nativos de la región.

© Bill Jones

Cacique neu bennaeth un o lwythi'r Tehuelche.

The cacique *or chief of a Tehuelche tribe.*

Cacique de una tribu de los Tehuelche.

© Atgynhyrchwyd drwy garedigrwydd Llyfrgell Genedlaethol Cymru

Criw priodas ymhlith yr Indiaid, heb yr un ferch ar gyfyl y lle!
An Indian wedding party, with no women in sight!
¡Una boda entre los indios sin mujer ninguna!

Cofeb y Gymraes ym Mhorth Madryn, gyda'r môr a'r hen wlad y tu ôl iddi a'i thraed tuag at y tir a'i chartref newydd.

The monument to a Welsh woman in Port Madryn, with the sea and the 'old country' behind her, stepping towards the land and her new home.

Monumento a la Mujer Galesa en Puerto Madryn, caminando hacia la tierra y su nueva colonia, con el mar y el viejo país detrás de ella.

© Bill Jones

Un o'r placiau ar gofeb y Gymraes yn portreadu'r ymfudwyr cyntaf, ac un o'r brodorion yn estyn llaw o groeso.

One of the plaques on the monument of the Welsh woman, representing the first emigrants, with one of the natives extending a hand in welcome.

Una de las placas conmemorativas sobre el monumento la Mujer Galesa que retrata los primeros emigrantes, y uno de los nativos estirando su mano para darles la bienvenida.

© Bill Jones

CARTREFI
HOMES
LA VIVIENDA

Ogofâu yn y clogwyni tosga ger y man lle glaniodd y fintai gyntaf. Cred rhai i'r ymfudwyr lochesu yma yn ystod yr wythnosau cyntaf ar ôl glanio, ond ceir tystiolaeth ysgrifenedig gan sawl aelod o'r fintai fod Edwin Cynrig Roberts a gweithwyr a gyflogwyd gan Lewis Jones i baratoi at ddyfodiad y *Mimosa* wedi codi un ar bymtheg o fythynnod i'r ymfudwyr gyda lle i wyth ymhob un. Serch hynny, yr oedd stôr wedi cael ei gloddio yn y tosca i gadw bwyd ar eu cyfer a'i doi â brwyn glan y môr a chyda sach fel drws. Yn ddiweddarach, yn 1867, pan gredai'r ymfudwyr eu bod ar fin cael eu symud i ymsefydlu mewn rhan arall o'r Ariannin, mae'n bur debyg bod rhai ohonynt wedi byw yn yr ogofâu yr adeg honno.

Caves in the tosca cliffs, near the spot where the first settlers landed. One theory states that the emigrants sheltered here during the first few weeks after coming ashore, but the testimony of several of the original settlers states that Edwin Cynrig Roberts and workers who had been employed by Lewis Jones to prepare for the Mimosa's *arrival had built sixteen huts, with room for eight in each. A store to keep food had certainly been built in the cliffs, roofed with rushes and with a sack as a door. In 1867, when the settlers believed that they were about to be moved to another part of Argentina, some would probably have lived in the caves.*

Cuevas en los acantilados de tosca, cerca del lugar donde desembarcaron los primeros colonos. Una teoría afirma que los emigrantes refugiaron aquí durante las primeras semanas después del desembarco pero el testimonio de varios miembros de los colonos originales indica que Edwin Cynrig Roberts y los trabajadores que habían sido enviados por Lewis Jones para realizar los preparativos para la llegada del *Mimosa* habían construido dieciséis cabañas para los emigrantes, con espacio para ocho personas en cada uno. Sin duda, habían construido un almacén para guardar la comida para los emigrantes en los acantilados, techado con juncos y con un saco como una puerta. En 1867, cuando los colonos creían que estaban a punto de ser trasladados a otra parte de Argentina, algunos probablemente habrían vivido en las cuevas.

© Sioned Glyn

'Yr wyf wedi gwneud tŷ o goed, a'i doi â gwellt; mesura 5 llath wrth 4. Y mae genym fferm yn cynnwys 130 acr o dir; rhenid y ffermydd wrth *lots*... Y mae fy nhŷ i yn y dref yn glos wrth fy ffarm. Yr ydym yn cael 25 llath ysgwâr i adeiladu tŷ yn y dref, ynghyd â gardd.'
Lewis Davies, gynt o Aberystwyth, at ei rieni, 5 Tachwedd 1865.

'Y mae genym ni dŷ wedi ei wneud o briciau wedi eu plethu â chlai, a hen goed a ddaeth i lawr gyda'r afon, wedi ei doi â math o hesg cryf sydd yn tyfu ar lan yr afon. Nyni ydyw yr unig rai yn y dref sydd ganddynt ddrws ar eu tŷ; cynfas neu blanced sydd gan rai, ereill ddrws wedi ei wneyd o'r hesg.'
Maurice Humphreys, 2 Mawrth 1866.

'Erbyn Hydref 27ain, yr oeddym ni wedi adeiladu tŷ, a'r dydd canlynol, planasom gloron, moron, maip, Indrawn, a'r English Seeds.'
Dyfyniad o lythyr Watcin ap Mair Gwilym (Watkin William Pritchard Williams) at T. C. Wood, *Baner ac Amserau Cymru*, 13 Mehefin 1866

'Y tŷ cyntaf adeiladwyd oedd Dyffryn Dreiniog; yr ail, pabell hardd wedi ei gwneuthur o garpedi, y rhai oedd ganddynt yn yr Hen Wlad. Yr oedd wedi eu rhannu'n saith rhan. Fe ddaliodd hon yr holl wyntoedd heb syflyd. Yr adeiladwyr a'r perchnogion oedd y ddau Williams a'u chwaer. Eu tyddyn oedd tua dwy filltir tu isaf i Rawson, lle mae'r afon yn taro ar y bryniau. Rhoddasant yr enw 'Trifa' ar eu tyddyn am mai tri oeddynt – Watcin ap Mair Gwilym, ei frawd Watcin Wesley, a'i chwaer Elizabeth Louisa.'
Thomas Jones Glan Camwy, 'Hanes Cychwyniad y Wladfa ym Mhatagonia' (*Y Drafod* 3 Medi 1926)

Y tŷ cyntaf a adeiladwyd yn y Gaiman yn 1874 gan David D. Roberts a ymfudodd i'r Wladfa o Unol Daleithiau America. Ar y chwith gwelir William Meloch Hughes (1860–1926), arloeswr, llenor ac awdur y llyfr *Ar Lannau'r Gamwy*.

The first house to be built in Gaiman in 1874 by David D. Roberts, who emigrated to the Welsh settlement from the United States of America. On the left stands William Meloch Hughes (1860–1926), pioneer, literary man and author of the book Ar Lannau'r Gamwy ('On the Banks of the Chubut').

La primera casa que se construyó en Gaiman en 1874 por David D. Roberts que emigró a la colonia galesa de los Estados Unidos. A la izquierda se ve William Meloch Hughes (1860–1926), pionero, literato y autor del libro *Ar Lannau'r Gamwy* ('En las orillas del río Chubut').

© Atgynhyrchwyd drwy garedigrwydd Llyfrgell Genedlaethol Cymru

Yr un tŷ ar ôl cael ei adnewyddu.

The same house after restoration.

La misma casa después de haber sido renovada.

© William Troughton

Ystafell wely yn y tŷ cyntaf yn y Gaiman.

A bedroom in the first house in Gaiman.

Un dormitorio de la primera casa en Gaiman.

© William Troughton

Yr hen wladfawyr yn 1880.
The first Welsh settlers in 1880.
Los primeros colonos en 1880.

© Archifau a Chasgliadau Arbennig Prifysgol Bangor (bea022)

Teulu yn y Dyffryn yn barod am y daith i ymsefydlu yn yr Andes *c.1910*.

A family in the Chubut Valley ready to embark on the journey to settle in the Andes c.1910.

Una familia en el Valle de Chubut preparada para el viaje a establecerse en los Andes *ca.1910*.

© Atgynhyrchwyd drwy garedigrwydd Llyfrgell Genedlaethol Cymru

Llun o rai o'r hen wladfawyr yn 1915, hanner can mlynedd ar ôl cyrraedd Patagonia.

Some of the first Welsh settlers in 1915, fifty years after arriving in Patagonia.

Algunos de los primeros colonos en 1915, cincuenta años después de su llegada en la Patagonia.

© Atgynhyrchwyd drwy garedigrwydd Llyfrgell Genedlaethol Cymru

Tyddyn Bryn Amlwg, cartref Victor a Delfina Ellis, disgynyddion i deuluoedd Ellis a Rowlands. Pan fu Aled Samuel a Greg Stevenson yn ymweld â'r lle ar gyfer rhaglen Y Tŷ Cymreig ar S4C yn 2007, roedd Victor a Delfina ar fin symud o'r bwthyn bach traddodiadol Cymreig i dŷ modern.

Bryn Amlwg, the home of Victor and Delfina Ellis, descendants of the Ellis and Rowlands families. When Aled Samuel and Greg Stevenson visited for the S4C programme Y Tŷ Cymreig *('The Welsh House') in 2007, Victor and Delfina were about to leave their little traditionally built Welsh cottage for a modern house.*

La chacra Bryn Amlwg, hogar de Victor y Delfina Ellis, descendientes de las familias Ellis y Rowlands. Cuando Aled Samuel y Greg Stevenson visitaron el lugar para el programa de televisión *La casa galesa* (S4C) en 2007, Victor y Delfina estaban a punto de cambiar su pequeña casa tradicional galesa para una casa moderna.

© Elma Phillips

Maes yr Haf, Bryn Gwyn, *c.*1880, cartref William Evans, gŵr a chwaraeodd ran flaenllaw yn Nyffryn Camwy, yn enwedig ym maes dyfrhau.

Maes yr Haf, Bryn Gwyn, c.1880, the home of William Evans, who played a prominent part in the Chubut Valley, particularly in regard to irrigation.

Maes yr Haf, Bryn Gwyn ca.1880, casa de William Evans, un hombre qu desempeñó un papel importante en el desarrollo y mejoramiento de la situación en el Valle del Chubut, sobre todo en el sistema de riego.

© Atgynhyrchwyd drwy garedigrwydd Llyfrgell Genedlaethol Cymru

AMAETHYDDIAETH
FARMING
AGRICULTURA

Y Ffos Fawr.
The Large Irrigation Canal.
El Canal Principal.
© Hywel Griffiths

© Eirionedd Baskerville

Cynllunio ffordd i ddyfrhau'r tiroedd er mwyn tyfu cnydau oedd un o flaenoriaethau'r ymfudwyr. Yn sgil darganfod y gellid agor ffosydd a arweiniai'n uniongyrchol o'r afon i'r caeau, agorwyd y gamlas gyntaf, dros gilometr o hyd, gan y ffermwyr gyda dim ond caib, rhaw a nerth braich.

Devising the means of irrigating the land in order to grow crops was a priority for the settlers. Following the discovery that ditches which led directly from the river to the fields could be opened, the first canal of over a kilometre in length was opened by the farmers with nothing but pick and shovel and elbow-grease.

Una de las prioridades de los emigrantes era planear cómo regar la tierra para producir cultivos para su subsistencia. El riego se realizó inicialmente por medio de pequeñas zanjas que provenían del río Chubut y surcaban las chacras. El descubrimiento que se podía abrir canales que tomaban agua directamente del río Chubut a sus tierras les condujó a construir el primer canal de riego de más de un kilómetro de longitud. Lo llevaron a cabo con sólo picos y palas y su propio esfuerzo.

© Hywel Griffiths

Rhod ddŵr yn Nolavon yn dangos dyfeisgarwch y cynllun i godi dŵr i ddyfrhau'r tir trwy ddefnyddio allanfa o'r gamlas i'w gyrru.

A water wheel at Dolavon which illustrates the creative way in which water was raised to irrigate the land, using an outlet from the canal to drive it.

Molino hidráulico en Dolavon que muestra técnicas innovadoras para encauzar agua del río para regar la tierra. El agua del canal así impulsaba el molino.

© Bill Jones

© Eirionedd Baskerville

Criw dyrnu Benjamin Brunt c.1893. Enillodd Benjamin y wobr gyntaf a medal am ei haidd yn yr Arddangosfa Ryngwladol ym Mharis yn 1889 ac eto am ei haidd a'i wenith yn Ffair y Byd yn Chicago yn 1893.

Benjamin Brunt's threshing crew c.1893. Benjamin won the first prize and a medal for his barley at the Paris International Exhibition in 1889, and again for his barley and wheat at the 1893 World Fair in Chicago.

Compañía de trillar de Benjamin Brunt ca.1893 Benjamin ganó el primer premio y una medalla para su cebada en la Exposición internacional en Paris en 1889 y otra vez para su cebada y su trigo en la Feria universal en Chicago en 1893.

© Atgynhyrchwyd drwy garedigrwydd Llyfrgell Genedlaethol Cymru

Cneifio ar fferm Rhys Thomas (Y Frongoch) a Thomas Morgan (Clydfan) yn yr Andes.
Sheering on the farm of Rhys Thomas (Frongoch) and Thomas Morgan (Clydfan) in the Andes.
Esquilando ovejas en la chacra de Rhys Thomas (Y Frongoch) y Thomas Morgan (Clydfan) en los Andes.

© Atgynhyrchwyd drwy garedigrwydd Llyfrgell Genedlaethol Cymru

Alejandro Jones yn hel gwartheg ar ei fferm yng Nghwm Hyfryd.

Alejandro Jones herding cattle on his farm in Cwm Hyfryd.

Alejandro Jones rodeando su ganado en su chacra en Valle 16 de Octubre (Valle Hermoso).

© Huw Edwards

Un o'r caeau tiwlips yng Nghwm Hyfryd. Mae hinsawdd a phridd yr Andes yn ddelfrydol ar gyfer tyfu'r tiwlips, ac allforir y bylbiau i nifer o wledydd ar draws y byd, yn enwedig i'r Iseldiroedd. Heddiw mae Gerry Green, un o feibion Charlie a Margarita Green, a disgynnydd i'r arloeswr R. J. Berwyn, yn tyfu tiwlips ar y fferm y tu allan i Drevelin.

One of the tulip fields in Cwm Hyfryd. The climate and soil in the Andean region is ideal for growing tulips and the bulbs are exported to various countries in the world, in particular to Holland. Today Gerry Green, one of the sons of Charlie and Margarita Green, and a descendant of the pioneer R. J. Berwyn, grows tulips on the farm outside Trevelin.

Uno de los campos de tulipanes en el Valle 16 de Octubre. El clima de los Andes es ideal para la cultivación de esta flor y se exportan los bulbos a varios países alrededor del mundo, en particular a Holanda. Hoy dí, Gerry Green, uno de los hijos de Charlie y Margarita Green y descendiente de R. J. Berwyn, cultiva tulipanes en su chacra en las afueras de Trevelin.

© Eluned Owena Grandis

Trelew, 1907.

Hen lun o'r felin a roddodd ei enw i bentref Trevelin, Cwm Hyfryd. Yn 1918 ffurfiodd John D. Evans gwmni o holl amaethwyr Bro Hyfryd ac anfonwyd am felin newydd. Er i hanner tanysgrifwyr y cwmni newydd dynnu eu henwau yn ôl, rhestrwyd y cwmni dan yr enw Molino Andes Juan D. Evans y Cia Sociedad en Comandita.

An old photograph of the mill which gave to the town of Trevelin, Cwm Hyfryd its name. In 1918 John D. Evans formed a company of all the farmers in Bro Hyfryd and a new mill was sent for. Although half the subscribers withdrew their names, the company was registered under the name Molino Andes Juan D. Evans y Cia Sociedad en Comandita.

Antigua fotografía del molino que dio su nombre a la localidad de Trevelin, Valle 16 de Octubre (Valle Hermoso). En 1918 John D. Evans formó una compañía de todos los agricultores del valle y se envió para un nuevo molino. Aunque la mitad de los abonados de la nueva empresa retiraron sus nombres, y con el resto de los miembros la compañía se cotizó bajo el nombre de Molino Andes Juan D. Evans y Cia Sociedad en Comandita.

Melin Trevelin yn 2009. Mae'n amgueddfa erbyn hyn.

Trevelin Mill in 2009. It is now a museum.

El Molino de Trevelin en 2009. Hoy el edificio es museo.

© Bill Jones

Ricardo Irianni & Aldwyn Brunt.
Ceris Gruffudd

Cneifio ar fferm ddefaid Aldwyn Brunt.
Shearing on Aldwyn Brunt's sheep farm.
Esquilar ovejas en la chacra de Aldwyn Brunt.
© Aled Jenkins

Cofeb o waith Sergio Owen i ddathlu'r amaethwr. Gwelir y ffermwr wrthi'n trin y tir, ac mae'r pedwar tymor yn cael eu cynrychioli ar y pedair wal oddi amgylch.

A monument by Sergio Owen to celebrate the farmer. The farmer is shown cultivating the land, and the four seasons are represented on the four surrounding walls.

Monumento celebrando el agricultor, obra de Sergio Owen. Muestra un granjero en el proceso de cultivar la tierra, y las cuatro estaciones están representadas en las cuatro paredes circundantes.

© Eirionedd Baskerville

MASNACH
TRADE
EL COMERCIO

Y *Gwenllian*, 'llong y Wladva ar y Gamwy', llong yn perthyn i John Murray Thomas ac a enwodd ar ôl ei chwaer Gwenllian, gwraig y Parch. Abraham Matthews. Bu'r llong fach yn cynnal masnach rhwng y Wladfa a Buenos Aires.

The Gwenllian, *the settlement's boat on the Chubut, the property of John Murray Thomas who named her after his sister Gwenllian, the wife of the Rev. Abraham Matthews. It carried trade between the Welsh Settlement and Buenos Aires.*

Gwenllian, barco de la colonia galesa en el Chubut, la propriedad de John Murray Thomas, y bautizado con el nombre de su hermana Gwenllian, esposa del reverendo Abraham Matthews. Mantuvo el comercio entre la colonia galesa y Buenos Aires.

Yr *Annie Morgan*, un arall o longau bach y Wladfa, ym mhorthladd y Boca, Buenos Aires yn 1898.

The Annie Morgan, *another of the settlement's little ships, in Boca harbour, Buenos Aires in 1898.*

Annie Morgan, otro de los pequeños barcos de la colonia galesa, en el puerto de la Boca, Buenos Aires, 1898.

© Atgynhyrchwyd drwy garedigrwydd Llyfrgell Genedlaethol Cymru

Gorsaf Trelew c.1900. Nodir enwau Edward Jones Williams, y peiriannydd ac un o'r tri gŵr a feddyliodd am adeiladu rheilffordd o Borth Madryn i'r Dyffryn, a Mr J. S. Berry, a'i dilynodd fel peiriannydd y rheilffordd.

Trelew Railway Station c.1900. The names of Edward Jones Williams, engineer and one of the three men who promoted the building of the railway from Port Madryn to the Chubut Valley, and Mr J. S. Berry, who succeeded him as railway engineer, are noted on the photograph.

Estación de Trelew, ca.1900. Allí están los nombres de Edward Jones Williams, el ingeniero y uno de los tres hombres que pensaron en construir un ferrocarril de Puerto Madryn al Valle, y señor Berry, que le siguió como ingeniero del ferrocarril.

© Atgynhyrchwyd drwy garedigrwydd Llyfrgell Genedlaethol Cymru

Gorsaf Trelew yn 2009. Mae'n amgueddfa erbyn hyn.

Trelew Railway Station in 2009. It now houses a museum.

Estación de Trelew en 2009. Hoy en día es museo.

© Bill Jones

Gorsaf Porth Madryn yn 2003. Dyma derfynfa'r bysiau erbyn hyn.

Port Madryn Railway Station in 2003. This is now the Bus Terminal.

Estación de Puerto Madryn en 2003. Hoy es la estación de autobuses.

© Bill Jones

Hen orsaf y Gaiman, safle Amgueddfa'r Gaiman heddiw.

Gaiman's old railway station, now the Gaiman museum.

Antigua estación de Gaiman, donde se encuentra hoy el museo Gaiman.

© Bill Jones

Seibiant i deithwyr y trên ar y paith rhwng Madryn a Threlew yn 1907. John Howell Jones oedd gyrrwr y trên.

A rest for travellers on the train on the pampas between Madryn and Trelew in 1907. John Howell Jones was the train driver.

Un descanso para los viajeros del tren en la pampa entre Madryn y Trelew en 1907. El conductor del tren era John Howell Jones.

© Atgynhyrchwyd drwy garedigrwydd Llyfrgell Genedlaethol Cymru

SIOP SAER Bᴿ DERVEL ROBERTS.GAIMAN.CHUBUT.

Siop saer Dervel Roberts, y Gaiman. Yr oedd Dervel yn fab i Edwin Cynrig Roberts a ymfudodd yn blentyn o Gilcain, sir y Fflint, gyda'i deulu i Oshkosh yn nhalaith Wisconsin yng Ngogledd America. Ymunodd â'r ymgyrch a sefydlwyd yng Ngogledd America i weithio dros greu gwladfa Gymreig ym Mhatagonia ac fe'i hanfonwyd i New Bay gan y Pwyllgor Ymfudo yn Lerpwl i baratoi am ddyfodiad y *Mimosa*.

Dervel Roberts's carpentry shop, Gaiman. He was the son of Edwin Cynrig Roberts who emigrated from Cilcain, Flintshire, with his family to Oshkosh in Wisconsin, North America. He joined the campaign that was formed in North America to work towards creating a Welsh homeland in Patagonia and he was sent by the National Committee in Liverpool to New Bay to make preparations for the arrival of the Mimosa.

Negocio del carpintero Dervel Roberts, Gaiman. Era hijo de Edwin Cynrig Roberts de Cilcain, condado de Flintshire. Emigró de niño con su familia a Oshkosh en el estado de Wisconsin en América del Norte. Se incorporó a la campaña establecida en América del Norte para crear una colonia galesa en Patagonia. Fue enviado a Golfo Nuevo a prepararse para la llegada de la *Mimosa*.

© Atgynhyrchwyd drwy garedigrwydd Llyfrgell Genedlaethol Cymru

Siop Cwmni Masnachol y Camwy yn Rawson, 30 Awst 1921.

Chubut Mercantile Company's store at Rawson, 30 August 1921.

La tienda de La Compañía Mercantil Chubut en Rawson el 30 de agosto de 1921.

© Atgynhyrchwyd drwy garedigrwydd Llyfrgell Genedlaethol Cymru

Ririd Williams yn ei siop yn y Gaiman.
Ririd Williams in his shop in Gaiman.
Ririd Williams en su negocio en Gaiman.
© William Troughton

Siop deganau yn y Gaiman.
A toy shop in Gaiman.
Tienda de juguetes en Gaiman.
© Sioned Glyn

Siop fara yn y Gaiman.
Bread shop in Gaiman.
La panadería en Gaiman.
© Elma Phillips

Siop siocled yn y Gaiman.
A chocolate shop in Gaiman.
Tienda de chocolate en Gaiman.
© Marc Phillips

Bwyty Blasus yn y Gaiman.
The 'Tasty Restaurant' in Gaiman.
Restaurante 'Delicioso' en Gaiman.
© Sioned Glyn

Casa de te Nain Maggie, Cwm Hyfryd. © Eirionedd Baskerville

© Elma Phillips

© Elma Phillips

© Elma Phillips

Tŷ Cymraeg (Casa Galesa), 2009. © William Troughton

Tŷ te Familia Thomas. © William Troughton

Tŷ te Junto al rio. © William Troughton

Tŷ te Caerdydd, Gaiman.

© William Troughton

Y llestri gorau!
The best teaset!
¡El mejor servicio de té!
Daniel Hughes

Casa de te Tŷ Nain. © Richard E. Huws

Tŷ Gwyn, Gaiman
© Elma Phillips

Vestry, Esquel.
© William Troughton

DIWYLLIANT
CULTURE
CULTURA

Criw o'r Urdd ar ymweliad â Phatagonia yn 2014.
A group of Urdd members from Wales on a visit to Patagonia in 2014.
Una visita por parte de un grupo de jóvenes galeses del Urdd en la Patagonia en 2014.
Ceris Gruffudd

Yr Orsedd yn Nhrelew, 1913, gyda William H. Hughes ('Glan Caeron') yn areithio o'r maen llog. Gydag ef y mae 'Mr Evans y gweinidog' (y Parch. Esau Evans mae'n debyg) a Richard Jones Berwyn.

The Gorsedd in Trelew, 1913, with William H. Hughes ('Glan Caeron') proclaiming from the 'maen llog'. With him is 'Mr Evans the minister' (probably the Rev. Esau Evans) and Richard Jones Berwyn.

El Gorsedd en Trelew, 1913 con William H. Hughes ('Glan Caeron') pronunciando un discurso desde la piedra central. Se ve también el pastor Señor Evans (el reverendo Esau Evans) y Richard Jones Berwyn.

© Atgynhyrchwyd drwy garedigrwydd Llyfrgell Genedlaethol Cymru

Cyfarfod prynhawn yr Arwest (Eisteddfod y Wladfa) a gynhaliwyd mewn pabell ar dir Rhymni, cartref Aeron Jones, ar 11 Tachwedd 1931.

The afternoon meeting of the Arwest (Eisteddfod y Wladfa) *which was held on land at Rhymni, the home of Aeron Jones, on 11 November 1931.*

La reunión de la tarde celebrando el Arwest que tuvo lugar en una tienda de campaña en las tierras de Rhymni, hogar de Aeron Jones, el 11 de noviembre 1931.

© Atgynhyrchwyd drwy garedigrwydd Llyfrgell Genedlaethol Cymru

Gorseddogion yn y Gaiman, 2014.
Members of the Gorsedd in Gaiman in 2014.
Miembros del Gorsedd, 2014.
Ceris Gruffudd

Rhai o feini'r Orsedd yn y Gaiman.
Some of the stones of the Gorsedd circle in Gaiman.
Algunas de las grandes columnas de piedra del Gorsedd.
© Elma Phillips

Côr y Dyffryn Uchaf o dan eu harweinydd Tom Rowlands, yn 1925.

The choir of the Upper Chubut Valley with their conductor Tom Rowlands in 1925.

El coro de Dyffryn Uchaf con su director Tom Rowlands en 1925.

© Atgynhyrchwyd drwy garedigrwydd Llyfrgell Genedlaethol Cymru

Côr plant Moriah yn 1912.

Moriah Chapel's Children's choir in 1912.

El coro de niños Moriah en 1912.

© Atgynhyrchwyd drwy garedigrwydd Llyfrgell Genedlaethol Cymru

Thomas Dalar Evans, athro ysgol, cyfansoddwr ac arweinydd corau yn Nyffryn Camwy a Chwm Hyfryd.

Thomas Dalar Evans, schoolmaster, composer and choir conductor in the Chubut Valley and in Cwm Hyfryd.

Thomas Dalar Evans, maestro, director de coros en Chubut y Valle 16 de Octubre y compositor.

© Atgynhyrchwyd drwy garedigrwydd Llyfrgell Genedlaethol Cymru

Clydwyn ap Aeron Jones, cerddor, cyfansoddwr, bardd a Llywydd cyntaf Gorsedd y Beirdd ym Mhatagonia. Astudiodd yn Ysgol Ganolraddol y Gaiman a graddio o'r Conservatory Cerddoriaeth Cenedlaethol yn Buenos Aires. Enillodd ysgoloriaeth y Cyngor Prydeinig yn 1950 i astudio cerddoriaeth yng Ngholeg y Drindod, Llundain, ac yn ystod y cyfnod hwnnw daeth yn aelod o Orsedd Beirdd Ynys Prydain. Bu'n feirniad yn yr Eisteddfod Genedlaethol yn 1967, yn awdur llyfr ar hanes y delyn, ac ef oedd bardd cadeiriol Eisteddfod Trevelin yn 2004. Bu farw ar 12 Ionawr 2008 yn 95 mlwydd oed.

Clydwyn ap Aeron Jones, musician, composer, poet and first President of the Gorsedd of Bards in Patagonia. He studied at Gaiman Intermediate School and graduated from the National Conservatory of Music in Buenos Aires. He won a British Council scholarship in 1950 to study music at Trinity College, London, and it was during that time that he became a member of the Gorsedd of Bards. He acted as an adjudicator at the National Eisteddfod in 1967, wrote a history of the harp and was the chaired bard at Trevelin Eisteddfod in 2004. He died on 12 January 2008 aged 95.

Clydwyn ap Aeron Jones, músico, compositor, poeta y primer presidente del Gorsedd de bardos en la Patagonia. Estudió en la Escuela Intermedia en Gaiman y se graduó del Conservatorio Nacional de Música de Buenos Aires. Ganó una beca del British Council en 1950 para estudiar música en el Trinity College de Londres, y fue durante ese tiempo que se convirtió en miembro del Gorsedd de bardos. Actuó como jurado en el Eisteddfod Nacional en 1967, escribió una historia del arpa y fue el bardo que ganó el sillón bardico, el premio al mejor poema en galés en el Eisteddfod de Trevelin en 2004. Murió el 12 de enero de 2008 a la edad de 95.

© Edith MacDonald

Elvey MacDonald, Clydwyn ap Aeron Jones & Dewi Mefin Jones

© Elvey MacDonald

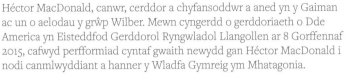

Héctor MacDonald, canwr, cerddor a chyfansoddwr a aned yn y Gaiman ac un o aelodau y grŵp Wilber. Mewn cyngerdd o gerddoriaeth o Dde America yn Eisteddfod Gerddorol Ryngwladol Llangollen ar 8 Gorffennaf 2015, cafwyd perfformiad cyntaf gwaith newydd gan Héctor MacDonald i nodi canmlwyddiant a hanner y Wladfa Gymreig ym Mhatagonia.

Héctor MacDonald, singer, musician and composer who was born in Gaiman and is a member of the group Wilber. At a concert of South American music at the Llangollen International Musical Eisteddfod on 8 July 2015, the premier of a new work composed by Héctor MacDonald to celebrate the 150th anniversary of the Welsh Settlement in Patagonia was performed.

Héctor MacDonald, cantante, músico y compositor nacido en Gaiman y uno de los miembros del grupo Wilber. En un concierto de música de América del Sur en la eisteddfod internacional de Llangollen el 8 de julio de 2015, se estrenará una composición nueva escrita por Héctor MacDonald conmemorando un siglo y media de la colonia galesa en la Patagonia.

© Elvey MacDonald

Edith MacDonald, mam Héctor, sydd ar hyn o bryd yn arweinydd Côr Merched y Gaiman a ffurfiwyd ganddi yn 1974.

Edith MacDonald, Héctor's mother, who is currently the conductor of Gaiman Women's Choir, which she founded in 1974.

Edith MacDonald, madre de Héctor, en este momento directora del coro de mujeres de Gaiman, que formó en 1974.

© Richard E. Huws

Eluned Morgan (1870–1938) a aned ar fwrdd y llong *Myfanwy* ym Mae Biscay ar y ffordd i'r Wladfa, yn ferch i Lewis Jones ac Ellen Griffiths ei wraig, a'i bedyddio yn Eluned Morganed. Cyhoeddodd bedwar llyfr: *Dringo'r Andes, Gwymon y Môr, Ar Dir a Môr* a *Plant yr Haul.*

Eluned Morgan (1870–1938) was born on board the Myfanwy *in the Bay of Biscay en route to the Settlement. A daughter of Lewis Jones and his wife Elen Griffiths, she was christened Eluned Morganed by her father because she had been born at sea* (môr = *sea* + ganed = *born*). *She was the author of four books:* Dringo'r Andes, Gwymon y Môr, Ar Dir a Môr *and* Plant yr Haul.

Eluned Morgan (1870–1938), autora que nació a bordo del *Myfanwy* en el Golfo de Vizcaya en el camino a la colonia, la hija de Lewis Jones y Ellen Griffiths su mujer, y bautizado con el apellido Eluned Morganed. Publicó cuatro libros: *Dringo'r Andes, Gwymon y Môr, Ar Dir a Môr* y *Plant yr Haul.*

Barod am y llwyfan?

Ready to perform?

¿Listos para el escenario?

Daniel Hughes

Cystadleuaeth y Ddawns Werin
yn Eisteddfod Chubut, 2012.

*The folk dancing competition at the
Chubut Eisteddfod, 2012.*

La competición de danza
folklórica en el Eisteddfod de
Chubut en 2012.

Daniel Hughes

Parti dawnsio gwerin.
Folk dancing group.
Un grupo de danzas populares.
Daniel Hughes

Eistedded y bardd!
Let the bard be seated!
¡Qué se siente el bardo!
Ceris Gruffudd

Wilber, Morlan Aberystwyth, Mehefin 2015.
Wilber, Morlan Aberystwyth, June 2015.
Wilber, Morlan Aberystwyth, junio 2015.
© Lois Dafydd

Gwenan Gibbard, cantores
a thelynores o Gymru.
*Gwenan Gibbard, singer
and harpist from Wales.*
Gwenan Gibbard, soloista
y arpista de Gales.
© Gwenan Gibbard

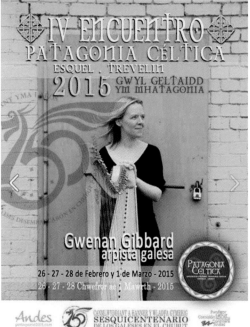

CAPELI

CHAPELS

CAPILLAS

Nodi canmlwyddiant Capel Seion, Esquel.
Marking the centenary of Seion Chapel, Esquel.
Celebrando el centenario de la Capilla Seion, Esquel.
© Elma Phillips

Capel Moriah, Trelew. Claddwyd rhai o aelodau'r fintai gyntaf ym mynwent y capel hwn, a cheir plac pres ar eu cerrig beddau i nodi hynny.

Moriah Chapel, Trelew. Some of the first settlers were buried in this chapel's graveyard, and their graves are marked with a brass plaque to identify them.

Capilla Moriah, Trelew. Varios miembros del primer contingente están enterrados en el cementerio de esta capilla, y se indican sus tumbas con placas de latón.

© Bill Jones

Bedd a chofeb y Parch. Abraham Matthews.
Grave and memorial to the Rev. Abraham Matthews.
La tumba y monumento al reverendo Abraham Matthews.
© Bill Jones

Maurice Humphreys.
© Bill Jones

Elizabeth, gwraig Richard Jones Berwyn.
Elizabeth, the wife of Richard Jones Berwyn.
Elizabeth, esposa de Richard Jones Berwyn.
© Bill Jones

Rawsona, merch Lewis ac Ellen Jones.
Rawsona, daughter of Lewis and Ellen Jones.
Rawsona, hija de Lewis y Ellen Jones.
© Bill Jones

Sarah Ann Jones.
© Bill Jones

Capel Salem, Lle Cul, yr unig gapel sinc yn y Wladfa.
Salem Chapel, Lle Cul, the only chapel in Patagonia built from zinc.
Capilla Salem, Lle Cul (la Angostura), única capilla de zinc en la colonia galesa.
© Elma Phillips

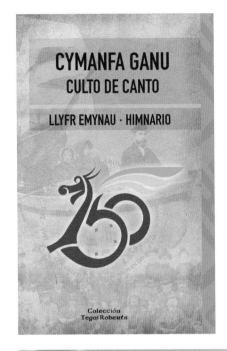

Rhaglen Cymanfa Ganu.
Cymanfa Ganu programme.
Programa Culto de Canto.
Daniel Hughes

Capel Bryn Crwn.
Bryn Crwn Chapel.
Capilla Bryn Crwn.
© Bill Jones

Capel Bethel, Trevelin.
Bethel Chapel, Trevelin.
Capilla Bethel, Trevelin.
© Huw Edwards

Capel Bethel, Y Gaiman. Dyma'r ail gapel;
defnyddir yr hen un fel festri.

*Bethel Chapel, Gaiman. This is the second chapel;
the original chapel is used as a vestry.*

Capilla Bethel, Gaiman. Esta es la segunda capilla,
se utiliza la vieja capilla como Vestry (salón).
© Elma Phillips

Capel Glan Alaw.
Glan Alaw Chapel.
Capilla Glan Alaw.
© Bill Jones

Capel Bethesda, y Gaiman.
Bethesda Chapel, Gaiman.
Capilla Bethesda, Gaiman.
© Bill Jones

Capel Bethel, Tir Halen.

Bethel Chapel, Tir Halen.

Capilla Bethel, Tir Halen (Tierra Salada).

© Eirionedd Baskerville

Capel Carmel, Dolavon, a fu gynt yn storfa flawd. Y ddiweddar Mair Davies, cenhades a pherchennog siop lyfrau Cristnogol yn Nhrelew, yw'r ail o'r dde.

Carmel Chapel, Dolavon, once a flour warehouse. The late Mair Davies, missionary and owner of the Christian bookshop in Trelew, is second from the right.

Capilla Carmel, Dolavon, una vez un almacén de harina. La difunta Mair Davies, misionera y dueña de la librería cristiana en Trelew, es la segunda a la derecha.

© Bill Jones

Eglwys Tyddewi, Dolavon.
St David's Church, Dolavon.
Iglesia Anglicana San David, Dolavon.
© Eirionedd Baskerville

Capel Berwyn, Rawson.
Berwyn Chapel, Rawson.
Capilla Berwyn, Rawson.
© Eirionedd Baskerville

Dosbarth Tomos Morgan, Ysgol Sul Bryn Crwn, 1912.

Tomos Morgan's class, Bryn Crwn Sunday School, 1912.

La clase religiosa de Tomos Morgan, en la escuela dominical de Bryn Crwn, 1912.

© Atgynhyrchwyd drwy garedigrwydd Llyfrgell Genedlaethol Cymru

Gobeithlu Capel Bethesda gyda'r Parchedig David Deyrn Walters, 9 Rhagfyr ?1918. Yn ôl Eluned Morgan: 'Peth newydd yw y Gobeithlu yn y Wladfa, cychwynnwyd gan Mr. Walters, ein gweinidog ieuanc newydd – mae wedi cydio yn dda hefyd drwy'r gwahanol ardaloedd'.

Bethesda Chapel's Sunday school with the Reverend David Deyrn Walters, 9 December ?1918. Eluned Morgan reported that 'the Band of Hope is a new thing in the Welsh Settlement, it was begun by Mr. Walters, our new young minister – it has been taken up by the different districts too.'

'Gobeithlu' Capilla Bethesda con el pastor, el reverendo David Deyrn Walters, 9 Decembre ?1918. Según Eluned Morgan, 'Gobeithlu (lugar de esperanza) es algo nuevo en la colonia galesa – empezó con Sr. Walters, nuestro nuevo y jóven pastor – y ha tenido éxito también en distintos partes de la región'.

© Atgynhyrchwyd drwy garedigrwydd Llyfrgell Genedlaethol Cymru

Yr Hen Gapel yn yr Andes.
The Old Chapel in the Andes.
La vieja capilla en los Andes.
© Atgynhyrchwyd drwy garedigrwydd Llyfrgell Genedlaethol Cymru

ADDYSG
EDUCATION
EDUCACIÓN

Dail yr hydref.
Autumn leaves.
Las hojas de otoño.
Daniel Hughes

Ysgol Ganolraddol Camwy, y Gaiman adeg corffori'r ysgol ym mis Awst 1908. Y prifathro cyntaf oedd Dafydd Rhys Jones, mab David Jones, Maes Comet. Bu Edmund Thomas Edmunds, a aned ym Mlaenau Ffestiniog, a Luned Vychan de González hefyd yn brifathrawon ar yr ysgol. 'Nid byd byd heb wybodaeth. La Educación es el pan del alma' yw'r arwyddair ar blac uwchben y drws.

Chubut Intermediate School in Gaiman on the occasion of the school's inauguration in August 1908. The first headmaster was Dafydd Rhys Jones, son of David Jones, Maes Comet. Edmund Thomas Edmunds, a native of Blaenau Ffestiniog, and Luned Vychan de González, later held the post. A translation of the school's motto which is to be seen above the doorway is 'There is no world without knowledge'.

Escuela Intermedia del Chubut, Gaiman cuando se inauguró en agosto de 1908. El primer director del colegio fue Dafydd Rhys Jones, hijo de David Jones Maes Comet. También fueron directores Edmund Thomas Edmunds, nacido en Blaenau Ffestiniog, y Luned Vychan de González. 'No es un mundo – un mundo sin información – La Educación es el pan del alma'. Es el lema que se encuentra en una placa por encima de la puerta.

Ysgol Ganolraddol Camwy, y Gaiman.

Chubut Intermediate School in Gaiman.

Escuela Intermedia del Chubut, Gaiman.

© Llun gan / Picture by / Fotografía de Richard Williams

Ysgol yr Hendre, ysgol ddwyieithog newydd Trelew.
Ysgol yr Hendre, Trelew's new bilingual school.
Ysgol yr Hendre, Trelew, nueva escuela bilingüe.
© Lois Dafydd

Plant, rhieni ac athrawon Ysgol Feithrin Ysgol yr Hendre, Trelew, a fu'n perfformio pasiant byr yn olrhain hanes y Wladfa.

Pupils, parents and teachers of Hendre School's Nursery school, Trelew, who performed a short pageant depicting the history of the Settlement.

Niños, padres y profesores del parvulano de Ysgol yr Hendre, Trelew, que actuaron en un breve espectáculo sobre la historia de la colonia galesa.

© Marc Phillips

Ysgol Tŷ Gwyn ger Trerawson gyda'r athro Edmund Freeman Hunt a fu'n athro ar yr ysgol hon, a ystyrid yr orau yn yr ardal, am tua 30 mlynedd. Bu Gregorio, un o feibion y Cacique (Pennaeth) Juan Nahuelquir Chiquichano, yn treulio rhai blynyddoedd yng nghartref Hunt ac yn mynychu'r ysgol. I gydnabod ei waith ym myd addysg, ac i sicrhau nad âi ei enw'n angof, penderfynodd Cyngor Tref Rawson yn 1975 enwi un o faestrefi'r dref ar ei ôl.

Tŷ Gwyn School near Rawson with the schoolmaster Edmund Freeman Hunt, who was head of the school, considered the best in the area, for about 30 years. Gregorio, one of the sons of Cacique (Chief) Juan Nahuelquir Chiquichano, spent many years at the home of Hunt and attended the school. In recognition of his work in the field of education, and to ensure that his name was not forgotten, Rawson Town Council decided to name one of the town's districts in his honour in 1975.

La escuela Tŷ Gwyn cerca de Trerawson con Edmund Freeman Hunt, maestro aquí durante cerca de 30 años. Esta escuela era reconocida como la mejor de la región. Gregorio, uno de los hijos del Cacique Juan Nahuelquir Chiquichano, pasó algunos años en casa de Hunt y asistió a clases en la escuela. En reconocimiento a su trabajo en el mundo de la enseñanza y para asegurar que no se olvidara nunca su nombre, el ayuntamiento de Rawson decidió nombrar a uno de los barrios del pueblo después de él en 1975.

© Atgynhyrchwyd drwy garedigrwydd Llyfrgell Genedlaethol Cymru

Plant Ysgol Cwm Hyfryd ar gefn eu ceffylau y tu allan i'w hysgol. Ar gefn ceffylau y byddai'r disgyblion yn mynychu'r ysgol. Dechreuwyd cynnal ysgol yng nghapel Cwm Hyfryd yn 1894, ond yn 1896 ysgubwyd yr adeilad ymaith gan lif anghyffredin.

Pupils of Cwm Hyfryd School on horseback outside the school. The pupils of Cwm Hyfryd School rode to school on horseback. In 1894 a school was established in Cwm Hyfryd chapel but an extraordinary flood swept the building away in 1896.

Algunos niños de la escuela del Valle 16 de Octubre a caballo delante de su escuela. Así es como los niños de la región iban a la escuela. En 1894 se estableció una escuela en la capilla de Cwm Hyfryd pero en 1896 una inundación excepcional se llevó el edificio.

Ysgol Rhif 18, Cwm Hyfryd, sydd bellach yn amgueddfa.

National School No. 18, Cwm Hyfryd, which is now a museum.

Escuela Numero 18 del Valle 16 de Octubre, que hoy en día es museo.

© Marcelo Andres Roberts

Ysgol Gymraeg yr Andes, Esquel.
The Welsh School in Esquel.
Escuela galesa de los Andes en Esquel.
© Bill Jones

Ysgol Gymraeg yr Andes,
Trevelin.

Trevelin Welsh School.

Escuela galesa de los Andes,
Trevelin.

© Eirionedd Baskerville

Dewi, mab Jessica Jones,
athrawes yn Ysgol Gymraeg
yr Andes, Trevelin, a'i gŵr
Jose Luis Petersen, ac
Agostina a Josefina Mendez.

*Dewi, son of Jessica Jones, a
teacher at Trevelin Welsh
School, and her husband Jose
Luis Petersen. And Agostina
and Josefina Mendez.*

Dewi, hijo de Jessica Jones,
profesora en Ysgol Gymraeg
yr Andes, Trevelin, y su
marido, Jose Luis Petersen. Y
Agostina y Josefina Mendez.

© Aled Jenkins

TIRWEDD
LANDSCAPE
PAISAJE

Y ffordd o'r Gaiman i'r Andes.
The road from Gaiman to the Andes.
El camino del Gaiman a los Andes.
© Huw Edwards

Bryniau Bryn Gwyn, sy'n rhoi eu henw i'r ardal. Dyma'r fynedfa i Barc Palaeontolegol Bryn Gwyn.

Bryn Gwyn hills, which give the area its name (White Hill) and the entrance to Bryn Gwyn Palaeontological Park.

Las colinas de Bryn Gwyn dan su nombre a la región y este es el sitio donde se encuentra el Parque Paleontológico de Bryn Gwyn (Loma Blanca).

© Hywel Griffiths

GAIMAN. 1906

Y Gaiman yn 1906. Gair yn iaith y Tehuelche yw 'Gaiman' sy'n golygu carreg hogi. Yr enw cynnar arno oedd Pentre Sydyn, oherwydd ei ddatblygiad cyflym.

The Gaiman in 1906. 'Gaiman' is a Tehuelche name meaning a whetstone. The Welsh name in the early years was Pentre Sydyn ('Sudden Village') because of its rapid development.

Gaiman en 1906. Gaiman es una palabra de los Tehuelche que significa piedra de afilar o algo. Al principo se llambada Pentre Sydyn debido a su rápido desarrollo.

© Atgynhyrchwyd drwy garedigrwydd Llyfrgell Genedlaethol Cymru

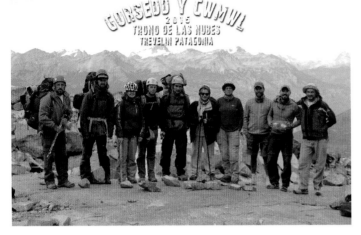

Gorsedd y Cwmwl. Barod amdani?
The Throne of the Cloud. Are you ready?
El Trono de las Nubes. ¿Listos?
Daniel Hughes

Wedi cyrraedd y copa o'r diwedd!
Reached the summit at last!
¡Por fin hemos llegado al cumbre!
Daniel Hughes

Gwersylla ar y ffordd i'r Andes.

Camping on the way to the Andes.

A campar en camino a los Andes.

© Atgynhyrchwyd drwy garedigrwydd Llyfrgell Genedlaethol Cymru

Stryd yn Esquel gyda'r Andes yn y cefndir.

A street in Esquel, with the Andes as a backdrop.

Una calle en Esquel, con los Andes en el fondo.

© Bill Jones

Llyn ym Mharc Cenedlaethol Los Alerces ger Trevelin.
A lake in Los Alerces National Park near Trevelin.
Lago en el parque nacional de Los Alerces cerca de Trevelin.
© Elma Phillips

Tirwedd fynyddig Cwm Hyfryd a chopaon Gorsedd y Cwmwl – tebyg i baentiadau Kyffin Williams!

Mountainous terrain of Cwm Hyfryd, with the peaks of the Throne of the Clouds – similar to Kyffin Williams' famous paintings!

Fotografía del paisaje montañoso del Valle 16 de Octubre (Valle Hermoso) con el Trono de las Nubes en el fondo – similar a pinturas de Kyffin Williams!

© Elma Phillips

Guanaco, anifail o deulu'r lama a'r camel.

Guanaco, a wild animal of the llama and camel family.

Guanaco, un animal de la misma familia que la llama y el camello.

© Elma Phillips

Trên bach La Trochita yng ngorsaf Esquel.
La Trochita, the little train, in Esquel station.
El pequeño tren La Trochita el la estación de Esquel.
© Bill Jones

Golygfa o Esquel o La Trochita.
A view of Esquel from La Trochita.
Vista de Esquel de La Trochita.
© Eirionedd Baskerville

La Trochita yn troi cornel ar y ffordd yn ôl i Esquel o orsaf Nahuel Pan yn ardal Mynydd Llwyd.
La Trochita turns a corner on its journey back to Esquel from Nahuel Pan station in the 'Mynydd Llwyd' area.
La Trochita doblando la esquina de regreso de la estación de Nahuel Pan a Esquel, cerca de Mynydd Llwyd.
© Eirionedd Baskerville

Porth Madryn, 2014.

Puerto Madryn, 2014.

© Bill Jones

Playa Unión, Chubut.

Daniel Hughes

Golygfeydd yn ystod taith Adran Ddaearyddiaeth a Gwyddorau Daear Prifysgol Aberystwyth i Batagonia.

Views during a journey to Patagonia by the Department of Geography and Earth Sciences, Aberystwyth University.

Vista del departmento de Geografía y Ciencias de la Tierra de la Universidad de Aberystwyth.

© Hywel Griffiths

© Stephen Tooth

POBL
PEOPLE
GENTE

Oscar Kansas Jones, un o *Rifleros del Chubut*, 2014.
Oscar Kansas Jones, one of the Rifleros del Chubut, 2014.
Oscar Kansas Jones, uno de los Rifleros del Chubut, 2014.
© Aled Jenkins

Richard Jones Berwyn, 1837–1917. Gŵr amryddawn – athro, Ysgrifennydd y Cyngor a'r Llys Rhaith, cofrestrydd genedigaethau, priodasau a marwolaethau, crwner, ceidwad y porthladd, prif weinyddwr y llythyrdy, rheolwr swyddfa'r tywydd, golygydd *Y Brut*, 'newyddur' cyntaf Patagonia, a melinydd a chyfieithydd.

Richard Jones Berwyn, 1837–1917. A multi-talented man – teacher, secretary of the Council and the Law Court, registrar of births, marriages and deaths, coroner, keeper of the port, chief administrator of the post, manager of the meteorological office, editor of Y Brut, *Patagonia's first newspaper, miller and translator.*

Richard Jones Berwyn, 1837–1917. Un hombre dotado – maestro, secretario del Consejo de gobierno y del Tribunal, primero jefe del Registro Civil, capitán del puerto, jefe de Correos, director de la oficina de la meteorología, editor de *Y Brut*, primer boletín informativo de la Patagonia, molinero y traductor.

© Atgynhyrchwyd drwy garedigrwydd Llyfrgell Genedlaethol Cymru

Edward Jones Williams, peiriannydd a thirfesurydd, ac un a fu'n gyfrifol, gyda Thomas Davies 'Aberystwyth' a Lewis Jones, am adeiladu'r rheilffordd o Borth Madryn i Ddyffryn Camwy. Dychwelodd i Gymru gyda'i deulu ym mis Gorffennaf 1907, ond yn Ebrill 1908 roedd yn ôl yn y Wladfa i weithio ar gynlluniau i ehangu'r rheilffordd i'r Gaiman a llunio cynllun i adeiladu melin ddŵr.

Edward Jones Williams, engineer and surveyor who, together with Thomas Davies 'Aberystwyth' and Lewis Jones, pioneered the railway from Porth Madryn to the Chubut Valley. He returned to Wales with his family in July 1907, but in April 1908 he returned to the Settlement to work on plans to extend the railway to Gaiman and formulate a scheme to build a water mill.

Edward Jones Williams, ingeniero y agrimensor, y uno de los responsables, con Thomas Davies 'Aberystwyth' y Lewis Jones, por la construcción del ferrocarril de Puerto Madryn a Chubut. Regresó a Gales con su familia en julio de 1907, pero en abril de 1908 estaba de nuevo en la colonia para trabajar sobre los planes de extender el ferrocarril hasta Gaiman, y para elaborar un plano de construcción de un molino de agua.

Capten William Rogers, ei wraig Martha a'i deulu. Ymunodd William â'r Llynges Fasnachol a chymerodd ran ym mrwydrau Sebastopol, Alma a Balaclafa yn ystod Rhyfel y Crimea, gan ennill medalau gan lywodraethau Prydain a Thwrci am ei ddewrder.

Captain William Rogers, his wife Martha and family. William joined the Merchant Navy and fought in the battles of Sebastopol, Alma and Balaclava during the Crimean War, winning medals from the British and Turkish governments for his bravery.

El capitán William Rogers, su mujer Martha y su familia. William se ajuntó a la marina mercante y luchó en la batalla de Sebastopol, Alma y Balaclava de la Crimea, ganando medallas de los gobiernos de Gran Bretaña y Turquía por su valor.

Tîm pêl-droed Trevelin *c*.1920.

Trevelin football team c.1920.

Equipo de fútbol de Trevelin *ca*.1920.

© Atgynhyrchwyd drwy garedigrwydd Llyfrgell Genedlaethol Cymru

Luned Roberts de González, cyn-brifathrawes Coleg Camwy, a'i diweddar chwaer, Tegai Roberts, Curadur Amgueddfa'r Gaiman, wrth eu cartref, Plas y Graig.

Luned Roberts de González, former Head of Chubut College, and her late sister, Tegai Roberts, Curator of Gaiman Museum, at their home Plas y Graig.

Luned Roberts de González, ex-directora de Coleg Camwy (Colegio Chubut), y su hermana Tegai Roberts, archivista del Museo del Gaiman, en la puerta de su casa, Plas y Graig.

© Llun gan / Picture by / Fotografía de Richard Williams

Luned a Tegai yn darlledu un o'u rhaglenni wythnosol yn trafod newyddion yr ardal o'r stiwdio yn Nhrelew.

Luned and Tegai presenting an edition of one of their weekly programmes of local news from the studio in Trelew.

Luned y Tegai transmitiendo uno de sus programas semanales sobre las noticias de la región del estudio en Trelew.

© Llun gan / Picture by / Fotografía de Richard Williams

© Ricardo Irianni

Ann Griffiths a'r ddiweddar Meinir Evans de Lewis, Trevelin. Roedd y ddwy ymhlith enillwyr y gystadleuaeth i rai sydd wedi byw yn y Wladfa ar hyd eu hoes yn Eisteddfod Genedlaethol Cymru ym Meifod yn 2003.

Ann Griffiths and the late Meinir Evans de Lewis, Trevelin. At the National Eisteddfod of Wales in Meifod in 2003 they were among the winners of the competition for those who had lived all their lives in the Welsh Settlement.

Ann Griffiths y la difunta Meinir Evans de Lewis, Trevelin. Las dos mujeres de Trevelin figuraban entre los ganantes de un concurso para los que siempre han vivido en la colonia galesa y que aún viven en Argentina en el Eisteddfod Genedlaethol Cymru en Meifod en 2003.

© Ceris Gruffudd

Dervel Finlay Davies.

© Aled Jenkins

Irma Hughes de Jones, gwraig a oedd yn cael ei chydnabod fel prif lenor y Wladfa Gymreig, a'r ferch gyntaf i ennill Cadair yr Eisteddfod yno.

Irma Hughes de Jones, acknowledged as the chief literary figure of the Welsh Settlement, and the first female to win the Chair at the Eisteddfod there.

Irma Hughes de Jones, reconocida como la figura literaria más importante de la colonia galesa y la primera mujer el sillón bárdico en el Eisteddfod allí.

© Cathrin Williams

Alejandro Jones, y canwr a'r amaethwr o Drevelin ac un o gantorion mwyaf poblogaidd yr ardal – fel unawdydd ac fel deuawdydd gyda'i frawd Leonardo. Treuliodd Alejandro gyfnodau yn ffermio yn Llanuwchllyn (2005–6), a bu'n canu gyda Chôr Cymysg Llanuwchllyn a Chôr Godre'r Aran. Mae'n ddisgynnydd i John Daniel Evans a Thomas Dalar Evans.

Alejandro Jones, a young farmer from Trevelin and one of the most well-known singers in the area, as a soloist and as a duo with his brother Leonardo. Alejandro spent time farming in Llanuwchllyn (2005–6), and he sang with Llanuwchllyn Mixed Choir and Godre'r Aran Choir. He is descended from John Daniel Evans and Thomas Dalar Evans.

Alejandro Jones, el cantante y agricultor de Drevelin, uno de los cantantes más conocidos del país-como soloista y cantando en dúos con su hermano Leonardo. Alejandro pasó periodos cultivando en Llanuwchllyn (Gales) en 2005 y 2006 y mientras estaba allí, cantaba con el coro mixto de Llanuwchllyn y el coro Godre'r Aran. Es descendente de John Daniel Evans y Thomas Dalar Evans.

© Aled Jenkins

DATHLIADAU
CELEBRATIONS
FESTEJOS

Dathlu pen-blwydd y Gaiman.
Gaiman's birthday celebrations.
Celebrando el aniversario del Gaiman.
© Sandra de Pol

© Huw Edwards

Taith *Los Rifleros*. Fel teyrnged i'r 30 gŵr a farchogodd o Rawson i'r Andes yn 1885, mae aelodau o Gwmni Reifflwyr Chubut bob blwyddyn yn ymgymryd â thaith sy'n cychwyn o Ysgol Rhif 18 ac yn dringo i ben Craig Goch, gan wisgo dillad o'r 1880au. O ben y graig hon y gwelodd y Cymry'r cwm yn ymestyn o'u blaenau a'i fedyddio â'r enw Cwm Hyfryd.

Commemorating the expedition of Los Rifleros del Chubut. As a tribute to the 30 horsemen who travelled from Rawson to the Andes in 1885, members of the Riflemen's Company of Chubut undertake an annual journey from National School No. 18 to the top of Craig Goch dressed in the clothes of the 1880s.

El viaje de Los Rifleros. Conmemoración de los 30 hombres que montaron a caballo de Rawson a los Andes en 1885, y cada año miembros de los Rifleros del Chubut hacen el viaje que empieza en escuela Numero 18 y sube Craig Goch vestidos de ropa de los años 1880. Del cumbre de éste peñasco los galeses vieron el valle que se extendía delante de sus ojos y que llamaron 'Cwm Hyfryd' (Valle Hermoso).

© Aled Jenkins

© Aled Jenkins

Plac Stryd Lewis Jones yn Nhrelew. Enwyd y stryd i anrhydeddu Lewis Jones – arloeswr, llenor, sefydlydd dau bapur newydd, *Ein Breiniad* a'r *Drafod*, un o brif arweinwyr y mudiad gwladfaol ac arweinydd y Wladfa am flynyddoedd lawer.

A plaque on Lewis Jones Street, Trelew. The street was named in honour of Lewis Jones – pioneer, literary figure, founder of two newspapers, Ein Breiniad *and* Y Drafod, *one of the main leaders of the emigration movement and the leader of the Settlement for many years.*

Cartel que indica Calle Lewis Jones en Trelew. La calle fue nombrada al honor de Lewis Jones, pionero, figura literaria, fundador de dos periódicos, *Ein Breiniad* y *Y Drafod*, uno de los principales líderes del movimiento de emigración y de la colonia durante muchos años.

© William Troughton

Cofeb yn Nhrelew i gofio canmlwyddiant y Wladfa Gymreig.
The memorial in Trelew commemorating the centenary of the Welsh Settlement.
Monumento en Trelew para conmemorar el centenario de la colonia galesa.
© William Troughton

Cofeb y *Mimosa* yn Nhrevelin.
The Mimosa *monument in Trevelin.*
Monumento *Mimosa* en Trevelin.
© William Troughton

Cofeb Dyffryn y Merthyron. Ym mis Mawrth 1885 ymosododd carfan o Indiaid ar bedwar Cymro oedd ar eu ffordd yn ôl i'r Dyffryn ar ôl bod yn chwilio am aur. Lladdwyd Richard B. Davies, John Hughes a John Parry, yn Kel Kein. Cafodd John Daniel Evans ddihangfa wyrthiol drwy ddewrder ei ebol, Malacara.

The memorial in the Valley of the Martyrs. In March 1885 a group of natives attacked four Welshmen while they were returning to the Valley after searching for gold. Richard B. Davies, John Hughes and John Parry were killed in Kel Kein. John Daniel Evans had a miraculous escape when his horse, Malacara, made a daring leap to safety down a steep incline.

Monumento Valle de los Mártires. En marzo de 1885, un grupo de indios atacaron a cuatro galeses que volvían al valle después de un viaje en busca de oro. Tres de los hombres, Richard B. Davies, John Hughes y John Parry fueron asesinados en Kel Kein. John Daniel Evans tuvo un escape milagroso gracias a su caballo valiente, Malacara.

© Aled Jenkins

© Eirionedd Baskerville

Cofeb a cherflun i anrhydeddu holl fydwragedd Patagonia y tu allan i Amgueddfa Tir Halen. Fe'i cynlluniwyd gan Sergio Owen, gŵr ifanc o Fryn Gwyn, y Gaiman, ei gomisiynu gan Gymdeithas Dewi Sant, Trelew, a'i ddadorchuddio ar ddydd Gŵyl y Glaniad 2003.

The memorial to Patagonia's midwives, designed by Sergio Owen, a young man from Bryn Gwyn, Gaiman, commissioned by the Welsh Society of Trelew, and unveiled on Gŵyl y Glaniad 2003. It stands outside Tir Halen Museum.

Monumento a las Parteras del Valle del Chubut frente al museo de Tir Halen (Tierra Salada). Diseñado por Sergio Owen, un joven de Bryn Gwyn, Gaiman, por encargo de la Sociedad Dewi Sant, Trelew, fue inaugurado el día de la fiesta del desembarco en 2003.

© Marc Phillips

Arwydd Stryd Michael D. Jones. Roedd y Parch. Michael Daniel Jones yn wladgarwr, Prifathro Coleg yr Annibynwyr yn y Bala, ac arweinydd y mudiad i sefydlu Gwladfa Gymreig ym Mhatagonia. Buddsoddodd lawer o'i amser, ei egni a'i arian i wireddu ei freuddwyd o greu Cymru Newydd, Gymraeg ei hiaith, ei diwylliant, ei llywodraeth a'i sefydliadau ym Mhatagonia.

The sign to Michael D. Jones Street. The Reverend Michael Daniel Jones was a patriot, Principal of Bala Congregationalist College, and leader of the movement to establish a Welsh Settlement in Patagonia. He invested time, energy and money to realize his dream of creating a New Wales in Patagonia where Welsh would be the language of its inhabitants, its culture, government and institutions.

Calle Michael D. Jones. El reverendo Michael Daniel Jones era un patriota, director de la Universidad Congregacionalista de Bala, y líder del movimiento para establecer una colonia galesa en la Patagonia. Invirtió tiempo, energía y dinero para hacer realidad su sueño de crear un Nuevo País de Gales en la Patagonia, donde el galés sería el lenguaje de sus habitantes, su cultura, insituciones y gobierno.

© Bill Jones

Unrhyw esgus am *asado*!
Any excuse for an asado!
¡Cualquier excusa para un asado!
© Huw Edwards

Asado ym mis Chwefror 2015 i ddathlu pen-
blwydd pentref Tir Halen yn 80 mlwydd oed.

An asado *in February 2015 to celebrate the 80th*
anniversary of Tir Halen.

Asado en febrero de 2015 conmenmorando
el 80 aniversario del pueblo de Tir Halen
(Tierra Salada).
© Ann-Marie Lewis

Poster yn dathlu canmlwyddiant a hannc r y Wladfa. Mae'r llun cyntaf yn dangos y Cymry y tu allan i ysgol a hen gapel Cwm Hyfryd adeg y bleidlais i benderfynu tynged yr ardal. Mae'r ail lun yn dangos grŵp o bobl wrth y garreg fawr sy'n coffáu gwaith Syr Thomas H. Holdich fel canolwr Comisiwn y Ffin adeg y bleidlais.

A poster commemorating the 150th anniversary of the Welsh Settlement. The first photograph shows a group of people, mainly Welsh settlers, outside Cwm Hyfryd chapel and school, at the time of the plebiscite to determine the territorial future of the district. The second photograph shows a group of people near the large stone that commemorates the work of Sir Thomas H. Holdich as referee of the Border Commission at the time of the plebiscite.

Cartel celebrando ciento cincuenta años de la colonia galesa. La primera foto muestra los galeses fuera de la escuela y la vieja capilla de Cwm Hyfryd (Valle Hermoso), durante el plebiscito para determinar el futuro de la región. En la segunda foto observamos un grupo de personas frente a una gran piedra que conmemora la contribución de Sir Thomas H. Holdich como árbitro de la Comisión de Fronteras en el momento de plebiscite.

© Marcelo Andres Roberts

Dathlu Gŵyl y *Mimosa* yn Lerpwl, Mai 30 2015.

Mimosa festival celebrations in Liverpool, 30 May 2015.

Festival de la *Mimosa* en Liverpool el 30 de mayo de 2015.

© Derek Baskerville

GLANIASANT YMA I AROS · 1865 – 2015 · LOS GALESES DESEMBARCARON EN CHUBUT PARA QUEDARSE

© Cymdeithas Dewi Sant Trelew

www.ylolfa.com